Das Übungsheft
Deutsch

Erstes Lese- und Schreibtraining

Name: _____

Klasse: _____

Mein Deutschmeister-Pass

Deutschmeister	Seite	Datum	Anzahl der richtig gelösten Aufgaben	Wie leicht fiel mir das? ☺ ☺ ☹
1	14			
2	24			
3	34			
4	44			
5	54			
6	62			

Mildenberger

Inhaltsverzeichnis

Inhaltsverzeichnis

1 – – Klatsche, höre, schreibe.

| Ma, ma | Me, me | Mi, mi | Mo, mo | Mu, mu |

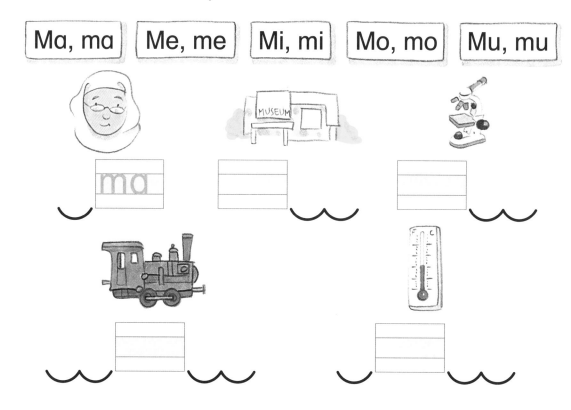

2  Verbinde.

Mo   Mu

Mu   Mo

Mi   Mi

1. alle Wörter klären, synchron sprechen und klatschen: Oma, Museum, Mikroskop, Lokomotive, Thermometer; die Silben schreiben
2. mit der passenden Anfangssilbe verbinden: Motorrad, Mobiltelefon

1 ✏️ Schreibe die Wörter mit zwei Farben.

Li   Ma
Lα   Mu

Lama

ma   mo
li   mα

2 🖐 – 👂 – ✏️ Klatsche, höre, schreibe.

| Ta, ta | Te, te | Ti, ti | To, to | Tu, tu |

1. die Wörter mit zwei Farben schreiben
2. alle Wörter klären, synchron sprechen und klatschen: Tomate, Tapete, Tuba, Tiger, Tafel; die Silben schreiben

5

1 ✋ – 👂 – ✏️ Klatsche, höre, schreibe.

| Ra, ra | Re, re | Ri, ri | Ro, ro | Ru, ru |

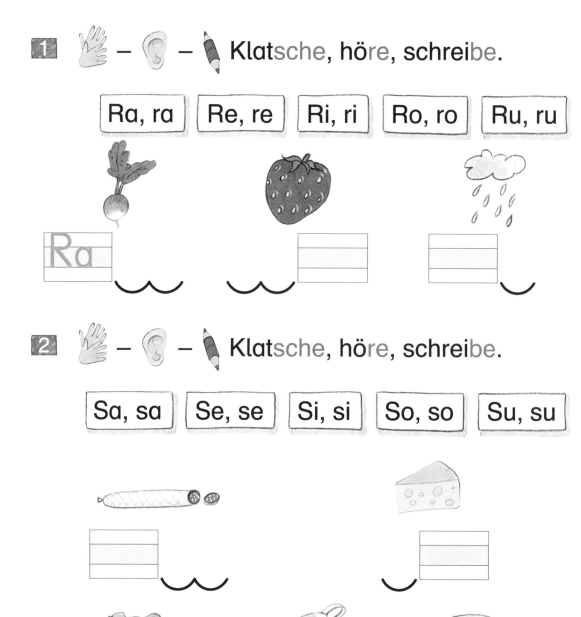

| Ra |

2 ✋ – 👂 – ✏️ Klatsche, höre, schreibe.

| Sa, sa | Se, se | Si, si | So, so | Su, su |

1. alle Wörter klären, synchron sprechen und klatschen: Radieschen, Erdbeere, Regen; die Silben schreiben
2. alle Wörter klären, synchron sprechen und klatschen: Salami, Käse, Salat, Soße, Dose; die Silben schreiben

1 🖐 – 👂 – ✏️ **Klatsche, höre, schreibe.**

| | de | l | |

2 Verbinde.

we	Wa		we
wi	La		ri
se	We		wi

1. alle Wörter klären, synchron sprechen und klatschen: Nadel, Pudel, Edelstein, Dalmatiner, Domino; die Silben schreiben
2. mit der passenden End- bzw. Anfangssilbe verbinden: Löwe, Wale, Kiwi

7

1 ✋ – 👂 – ✏️ Klatsche, höre, schreibe.

2 ✏️ Schreibe die Wörter mit zwei Farben.

Umut

U̶
E
O

ma
sel
mut

1. alle Wörter klären, synchron sprechen und klatschen: Igel, Uhu, Ofen, Ameise, Elefant; die Silben schreiben
2. die Wörter mit zwei Farben schreiben

1 🖌 Male richtig an.

Wale

Muli

Lama

Emu

2 🤚 – 👂 – ✏️ Klatsche, höre, schreibe.

E
Mu
La
Wa

li
le
mu
ma

1  Male richtig an.

am ma

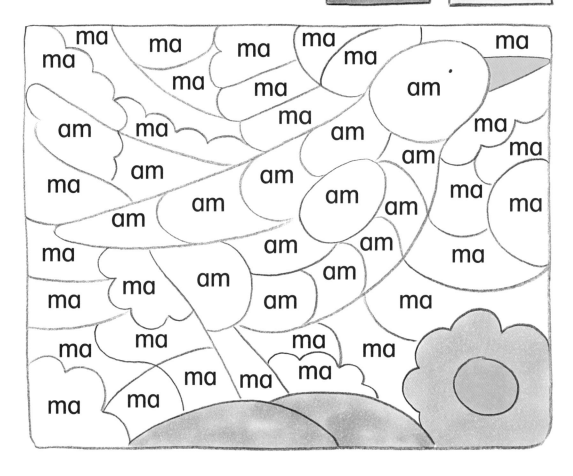

ma ma ma ma ma ma
ma ma am
ma ma am
ma am ma ma
am ma am am
ma am am am ma ma
am am ma
ma am am ma
ma ma am am
ma am am am ma
ma am ma
ma ma ma ma
ma ma ma
ma ma

2 Spure die Wörter nach.

 Amsel  Made

3 – ☒ Welches Tier siehst du? Kreuze an.

1. alle am braun, alle ma hellblau ausmalen
2. die grauen Wörter nachspuren
3. das richtige Tier ankreuzen

1 ✏ – ☒ Kreuze an.

☐ Umut ist am 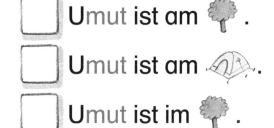.

☐ Umut ist am 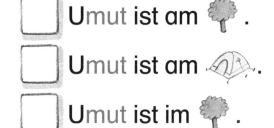.

☐ Umut ist im 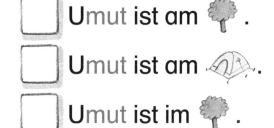.

☐ Oma ist im 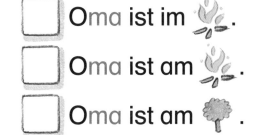.

☐ Oma ist am 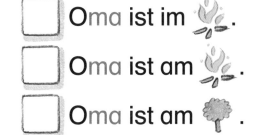.

☐ Oma ist am 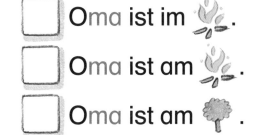.

☐ Umut ist am 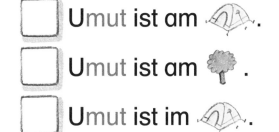.

☐ Umut ist am 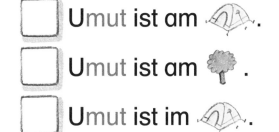.

☐ Umut ist im 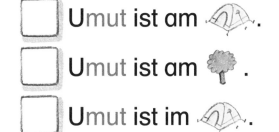.

2 ✏ im oder am? Schreibe die Wörter.

 Oma ist [＿＿＿] .

 Umut ist [＿＿＿] .

1 Streiche das Falsche durch.

 Umut ~~sind~~ ist am .

 Umut und Malte ~~ist~~ sind am .

 Umut und Malte ist sind am .

 Malte ist sind im  .

 Umut ist sind am .

 Oma und Mama ist sind am .

2 ist oder sind? Schreibe die Wörter.

 Umut _____ im  .

 Umut und Malte _____ im .

1. Unterschied ist/sind; unzutreffendes Wort streichen
2. die fehlenden Wörter einsetzen

1 Erzähle, was du siehst.

2 Ergänze die Sätze.

Mama ist im .   Mama ruft

Oma ist am 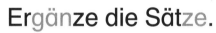 .   Oma ruft

Umut ist im  .   Umut ruft

Malte ist am .   Malte ruft

1. beschreiben, was auf dem Bild zu sehen ist
2. die richtigen Namen einsetzen

13

10 min

1  Klatsche, höre, schreibe.

2 Schreibe die Wörter.

Mu
Sa

la
se
mi
um

3 Streiche das Falsche durch.

Oma und Umut ist sind im  .

Umut ist sind am .

Oma und Umut ist sind am .

Du hast ___ von 7 Aufgaben richtig gelöst.

1 Schreibe die Tiernamen in das magische Quadrat. Achtung: Letzter Buchstabe = erster Buchstabe!

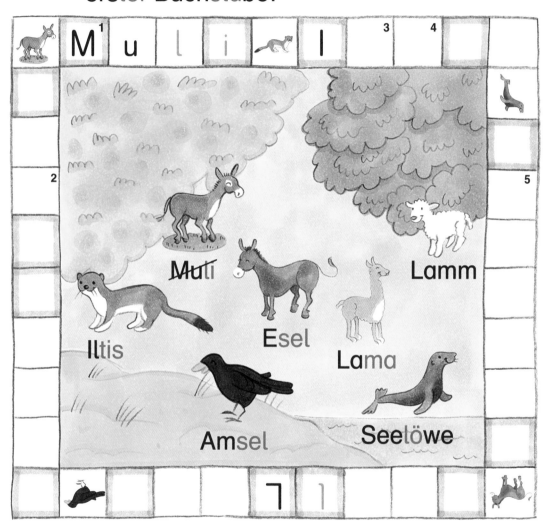

2 Trage das Lösungswort ein.

M				
1	2	3	4	5

malt Lamas.

1  Klatsche, höre, schreibe.

Na

2 Verbinde.

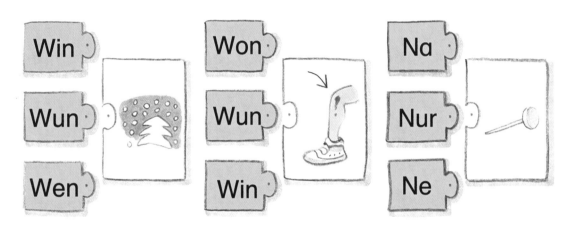

Win	Won	Na
Wun	Wun	Nur
Wen	Win	Ne

3 Fahre nach.

1. alle Wörter klären, synchron sprechen und klatschen: Nase, Beine, Nagel; die Silben schreiben
2. mit der passenden End- bzw. Anfangssilbe verbinden: Winter, Wunde, Nägel
3. die Verbindungen von den Kindern zu den Spielgeräten nachfahren

1 Klatsche, höre, schreibe.

Sche

2 Schreibe die Wörter.

1. alle Wörter klären, synchron sprechen und klatschen: Schere, Schale, Schirme, Schuhe, Schokolade; die Silben schreiben
2. die Wörter klären und mit zwei Farben schreiben: Tasche, Dusche

17

1 Klatsche, höre, schreibe.

2 Verwandle die Wörter.

Kamm — K Schw

Damm — D L

1. alle Wörter klären, synchron sprechen und klatschen: Schwerter, Schwalbe, Muschel, Schmetterling, Schranke, Schinken; die Silben schreiben
2. Reimwörter finden: die Buchstaben austauschen und die Wörter mit zwei Farben schreiben

 Schreibe die Wörter.

Leine	

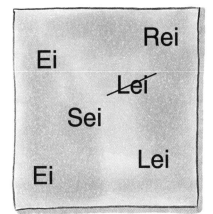

Rei
Ei
~~Lei~~
Sei
Lei
Ei

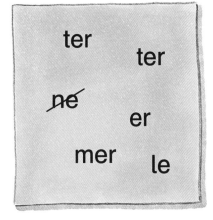

ter
ter
~~ne~~
er
mer
le

Verwandle die Wörter.

Leine	L Schw 	

Weile	W T 	

Meise	M R 	

1. die Wörter mit zwei Farben schreiben
2. Reimwörter finden: die Buchstaben austauschen und die Wörter mit zwei Farben schreiben

19

1  Male richtig an.

Kolibri

Karibu

Kobra

2 ✏ Ergänze die fehlenden Namen.

Ka
Ko
Ka

mel
du
la
ka
a

1. die Rahmen der Wörter in der richtigen Farbe ausmalen
2. die Wörter mit zwei Farben schreiben

1 Schreibe die Wörter.

| Käse | | |

Kä Ei
Sa Reis Schin
To

se la brei
ma
te mi er ken

 2 Fahre nach.

1  Male richtig an und spure nach.

schenken

lesen

denken

reiben

2 Was alle tun.

ra
schrei
na
wei

schen
ben
nen
sen

1. die Rahmen der Wörter in der richtigen Farbe ausmalen, Wörter nachspuren und mit zwei Farben schreiben
2. die Wörter mit zwei Farben schreiben

1 Was alle tun. Spure nach.

knacken nicken

backen trocknen

lecken

2 Schreibe die Wörter aus Aufgabe 1.

 Die Kinder _____ Kekse.

 Die Kinder _____ die Teller.

 Die Kinder _____ Nüsse.

 Die Kinder _____ am Eis.

 Die Kinder _____ als Antwort.

10 min

1 ✏ **Schreibe die Wörter.**

Ka
Schwei
Schwer
Ko

du   li
ka
ter   ne
bri

2 ✏ **Verwandle die Wörter.**

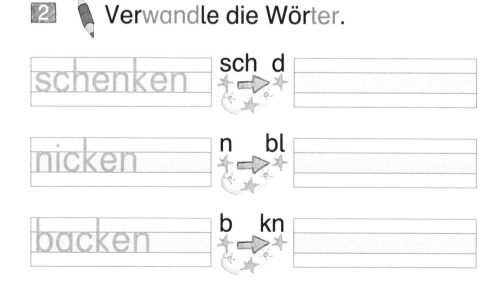

schenken   sch → d

nicken   n → bl

backen   b → kn

Du hast ☐ von 7 Aufgaben richtig gelöst.

1 Schreibe die Wörter.

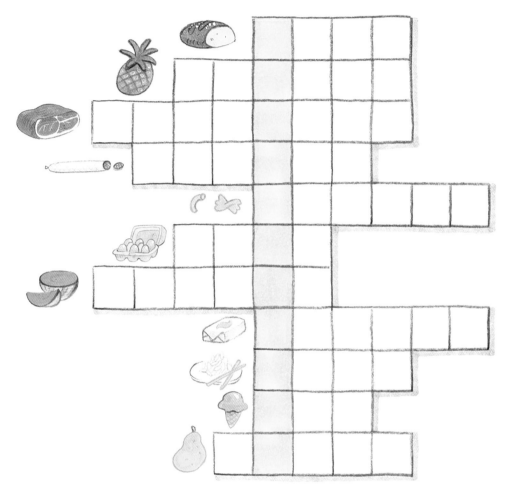

2 – ☒ Spure nach und kreuze die Lösung an.

☐ Birnenbrei   ☐ Bananeneis

☐ Bananenbrei

1 ✏️ Schreibe die Wörter.

Fische

Scha
   Rei
~~Fi~~
Fla

fe
   sche
fen
  ~~sche~~

2 ✏️ Schreibe die Wörter.

Schaufel

Au
~~Schau~~
Frau
Schau

to
   kel
~~fel~~

1. die Wörter mit zwei Farben schreiben
2. die Wörter mit zwei Farben schreiben

1 🖌 Male richtig an.

Gras

Gurke

Igel

Garten

Gemüse

2 ✏ Schreibe die Wörter aus Aufgabe 1.

Im _____ sind _____

im _____ .

Umut will ihnen _____ und

anderes _____ geben.

1 ✏️ G oder K? Trage ein und spure nach.

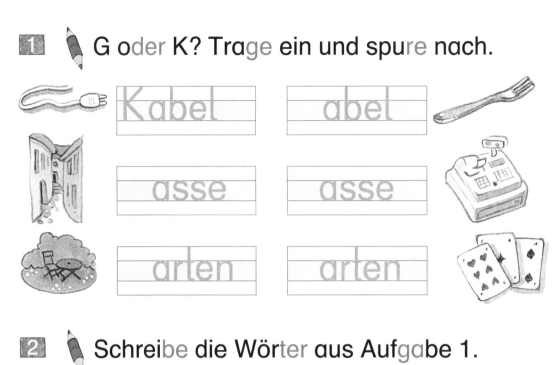

Kabel abel

asse asse

arten arten

2 ✏️ Schreibe die Wörter aus Aufgabe 1.

Das _____ ist lose.

Eine _____ fehlt.

Diese _____ ist schmal.

Ich stehe an der _____ an.

Die Katze schläft im _____ .

Die Kinder spielen _____ .

1. die richtigen Buchstaben eintragen und die Wörter nachspuren
2. die Wörter aus Aufgabe 1 mit zwei Farben schreiben

1 ✏ Was Tiere tun.

blö   gra   ga   ge

ben   ckern   ben   ken

2 ✏ Verwandle die Wörter.

rauben   r → gl

knurren   kn → g

kneifen   kn → gr

1. die Wörter mit zwei Farben schreiben
2. Reimwörter finden: die Buchstaben austauschen und die Wörter mit zwei Farben schreiben

29

1 🖌 Male richtig an.

ei   ie

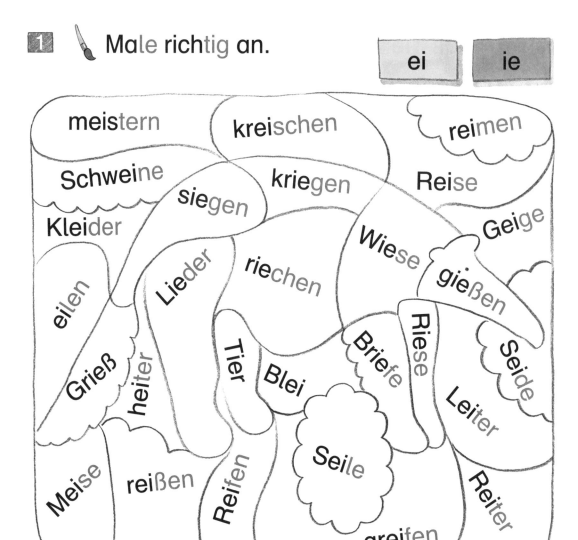

meistern
kreischen
reimen
Schweine
kriegen
Reise
Kleider
siegen
Geige
eilen
Lieder
riechen
Wiese
gießen
Grieß
heiter
Tier
Blei
Briefe
Riese
Seide
Leiter
Meise
reißen
Reifen
Seile
Reiter
greifen

2 ✏ Spure die Wörter nach.

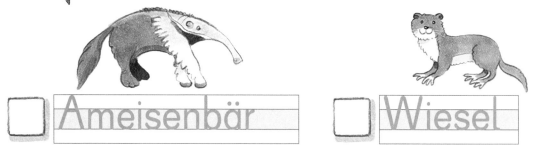

☐ Ameisenbär   ☐ Wiesel

3 ✏ – ☒ Welches Tier siehst du? Kreuze an.

1. alle Wörter mit ei grün, alle mit ie braun ausmalen
2. die grauen Wörter nachspuren
3. das richtige Tier ankreuzen

Schreibe die Wörter.

Pu
Wes
Rau
~~Pan~~

Panda

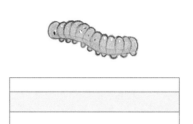

~~da~~
pe
pe
del

---

2 Schreiben B oder P? Trage ein und spure nach.

Palme

irne

lume

a a

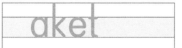

aket

Lam e

---

1. die Wörter mit zwei Farben schreiben
2. B/b oder P/p einfügen und die Wörter mit zwei Farben schreiben

1 Schreibe die Wörter.

Park

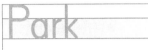

Au	Frau	Pu
Baum	~~Park~~	Rau

ge		pe
	del	

2 Ergänze die Silben.

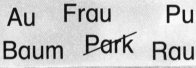

Wip

kel

Schau

Klet

Rut

terwand

sche

pe

1. die Wörter mit zwei Farben schreiben
2. die Silben ergänzen

Die verrückten Silbenwesen

Der kleine Silbenzauber: Die verrückten Silbenwesen, ein Lege- und Lesespiel

36 Spielkarten, mit Anleitung (16 Seiten),
im Schmuckkarton

ISBN 978-3-619-14228-6

www.mildenberger-verlag.de/514

Silbenstifte für das Schreiben in Silben

Die Silbenstifte sind dreiflächig. So ergibt sich automatisch die richtige Fingerhaltung beim Schreiben (Pinzettengriff). Der zweifarbige Stift ist dicker und dadurch leichter zu greifen. Zudem ist er sehr weich, sodass kein starker Druck beim Malen/Schreiben notwendig ist.

**Silbenstifte, zweifarbig, Ø Mine 6,25 mm,
VPE 12 Stifte**

ISBN 978-3-619-14266-8

www.mildenberger-verlag.de/511

Lesestart mit Eberhart

Themenhefte für Erstleser

In vier Schwierigkeitsstufen bieten die Erstlesehefte kurze, kindgerechte **Texte mit Silbentrenner**. Pro Lesestufe gibt es 10 Hefte mit jeweils 16 Seiten. Der Schwierigkeitsgrad steigert sich von kurzen, einfachen Sätzen zu zusammenhängenden Geschichten.
Jedes Heft: vierf., 14,5 x 13,5 cm, 16 S.

Lesestufe 1 – kurze, einfache Sätze

Lesestart mit Eberhart

Mein Hund Oskar	ISBN 978-3-619-04420-7
Die Katze Sisi	ISBN 978-3-619-04421-4
Unser Spielplatz	ISBN 978-3-619-04422-1
Im Streichelzoo	ISBN 978-3-619-04423-8
Mama und ich	ISBN 978-3-619-04424-5
Papa und ich	ISBN 978-3-619-04425-2
Meine Familie	ISBN 978-3-619-04426-9
Lea ist zu Hause	ISBN 978-3-619-04427-6
Wir toben!	ISBN 978-3-619-04428-3
Mein Sport	ISBN 978-3-619-04429-0
Diese 10 Hefte im Set	ISBN 978-3-619-04460-3

Wir toben!   Mein Sport

Lesestufe 2 – kurze, erweiterte Sätze

Lesestart mit Eberhart

Wald erleben	ISBN 978-3-619-04430-6
Wiese erleben	ISBN 978-3-619-04431-3
Meer erleben	ISBN 978-3-619-04432-0
Berge erleben	ISBN 978-3-619-04433-7
Wo ist Helga?	ISBN 978-3-619-04434-4
Wir backen Kekse	ISBN 978-3-619-04435-1
Das schmeckt mir	ISBN 978-3-619-04436-8
Mein Körper	ISBN 978-3-619-04437-5
Was ich werden kann	ISBN 978-3-619-04438-2
Wie ich sein kann	ISBN 978-3-619-04439-9
Diese 10 Hefte im Set	ISBN 978-3-619-04461-0

Was ich werden kann   Wie ich sein kann

www.mildenberger-verlag.de/321

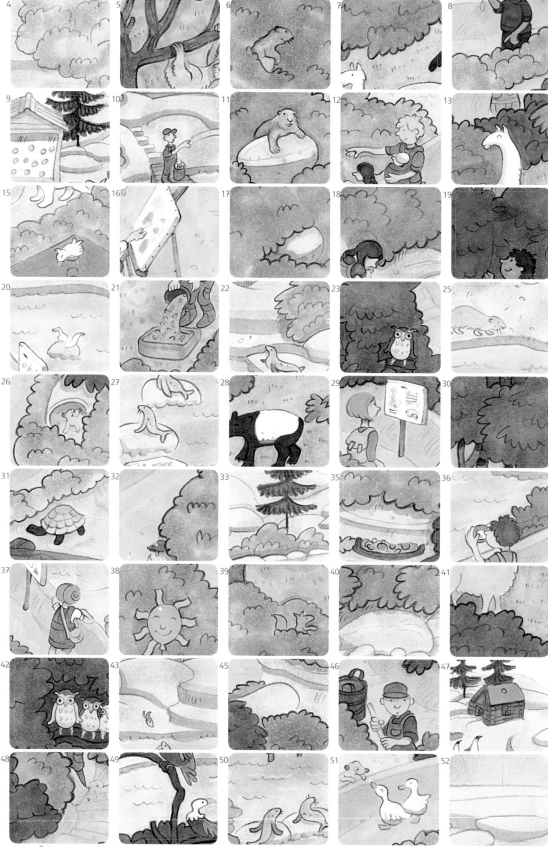

Das Übungsheft Deutsch 1 (1401-70)

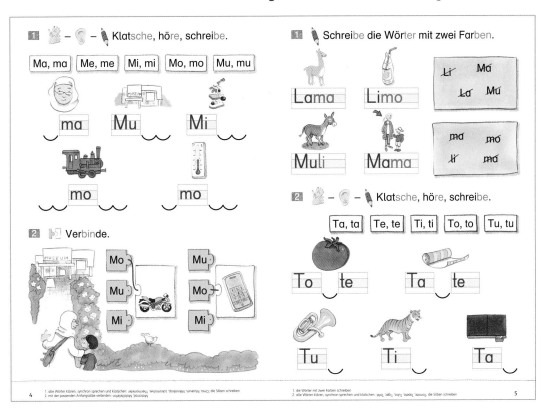

1 🖐 – 👂 – ✏ Klatsche, höre, schreibe.

| Ma, ma | Me, me | Mi, mi | Mo, mo | Mu, mu |

ma   Mu   Mi

mo   mo

2 Verbinde.

Mo — Mu
Mu — Mo
Mi   Mi

1 ✏ Schreibe die Wörter mit zwei Farben.

Lama   Limo

Li   Ma
La   Mu

Muli   Mama

ma   mo
li   ma

2 🖐 – 👂 – ✏ Klatsche, höre, schreibe.

| Ta, ta | Te, te | Ti, ti | To, to | Tu, tu |

To   te   Ta   te

Tu   Ti   Ta

1. alle Wörter klären, synchron sprechen und klatschen: Oma, Museum, Mikroskop, Lokomotive, Thermometer
2. mit der passenden Anfangssilbe verbinden: Motorrad, Mobiltelefon

1. die Wörter mit zwei Farben schreiben
2. alle Wörter klären, synchron sprechen und klatschen: Tafel, Tiger, Tuba, Tomate, Tapete; die Silben schreiben

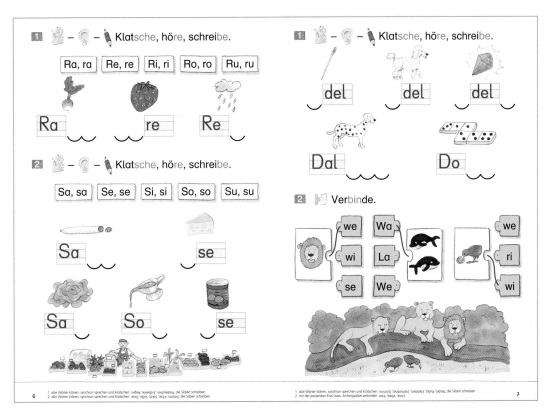

1 🖐 – 👂 – ✏ Klatsche, höre, schreibe.

| Ra, ra | Re, re | Ri, ri | Ro, ro | Ru, ru |

Ra   re   Re

2 🖐 – 👂 – ✏ Klatsche, höre, schreibe.

| Sa, sa | Se, se | Si, si | So, so | Su, su |

Sa   se

Sa   So   se

1 🖐 – 👂 – ✏ Klatsche, höre, schreibe.

del   del   del

Dal   Do

2 Verbinde.

we   Wa   we
wi   La   ri
se   We   wi

1. alle Wörter klären, synchron sprechen und klatschen: Regen
2. alle Wörter klären, synchron sprechen und klatschen: Rose, Radieschen, Erdbeere, Erdbeere, Dose; die Silben schreiben
... Salami, Käse, Soße, Dose

1. alle Wörter klären, synchron sprechen und klatschen: Domino
2. mit der passenden End- bzw. Anfangssilbe verbinden: Nadel, Pudel, Dalmatiner, Dominosteine
Löwe, Wale, Kiwi

Das Übungsheft Deutsch 1 – Lösungen (Seite 8–11)

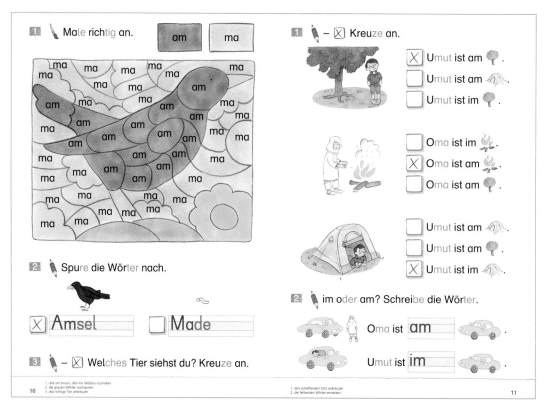

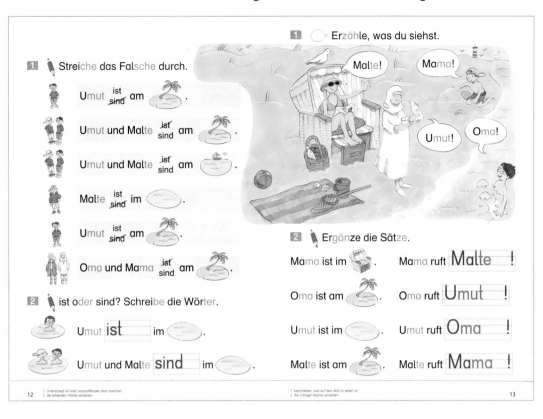

1 🖊 Streiche das Falsche durch.

Umut ~~ist~~ ~~sind~~ am 🌴.

Umut und Malte ~~ist~~ sind am 🌴.

Umut und Malte ~~ist~~ sind am ⛵.

Malte ist ~~sind~~ im 🏝.

Umut ist ~~sind~~ am 🌴.

Oma und Mama ~~ist~~ sind am 🌴.

2 🖊 ist oder sind? Schreibe die Wörter.

Umut **ist** im 🏝.

Umut und Malte **sind** im 🏝.

1 ⬭ Erzähle, was du siehst.

Malte! · Mama! · Umut! · Oma!

2 🖊 Ergänze die Sätze.

Mama ist im 🧰. Mama ruft **Malte** !

Oma ist am 🌴. Oma ruft **Umut** !

Umut ist im 🏝. Umut ruft **Oma** !

Malte ist am 🌴. Malte ruft **Mama** !

12 1. Unterschied ist/sind, unzutreffendes Wort streichen
    2. die fehlenden Wörter einsetzen

13 1. beschreiben, was auf dem Bild zu sehen ist
    2. die richtigen Namen einsetzen

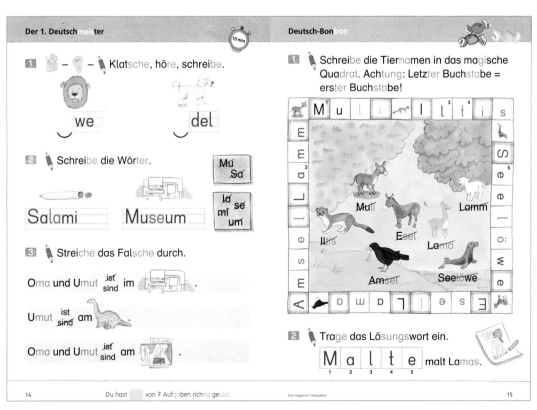

Der 1. Deutschmeister (10 min)

1 ✋ – 👂 – 🖊 Klatsche, höre, schreibe.

we · del

2 🖊 Schreibe die Wörter.

Mu Sa · la se mi um

Salami   **Museum**

3 🖊 Streiche das Falsche durch.

Oma und Umut ~~ist~~ sind im 🏛.

Umut ist ~~sind~~ am 🦕.

Oma und Umut ~~ist~~ sind am 🚪.

Deutsch-Bonbon

1 🖊 Schreibe die Tiernamen in das magische Quadrat. Achtung: Letzter Buchstabe = erster Buchstabe!

M u l i l t i s

Mull · Lamm · Illis · Esel · Lama · Amsel · Seelöwe

2 🖊 Trage das Lösungswort ein.

M a l t e malt Lamas.
1 2 3 4 5

14   Du hast ▢ von 7 Aufgaben richtig gelöst.   Das magische Tierquadrat   15

Das Übungsheft Deutsch 1 – Lösungen (Seite 16–19)

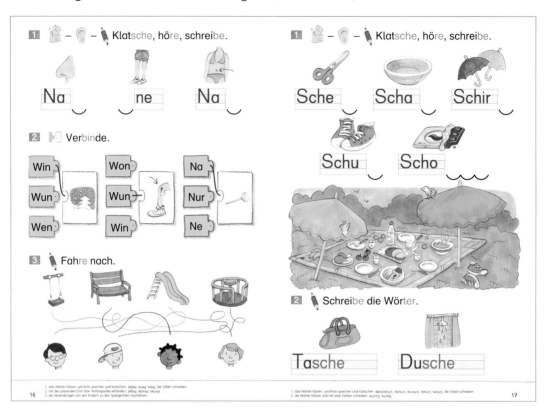

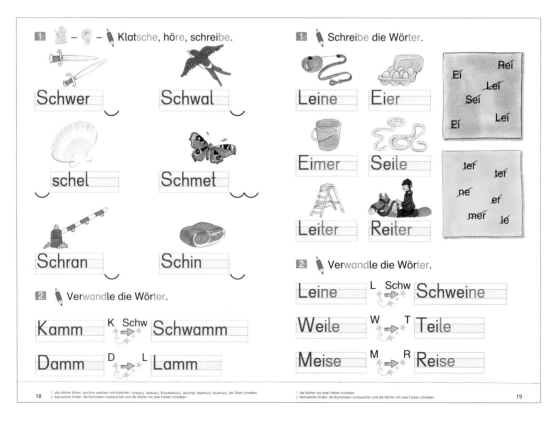

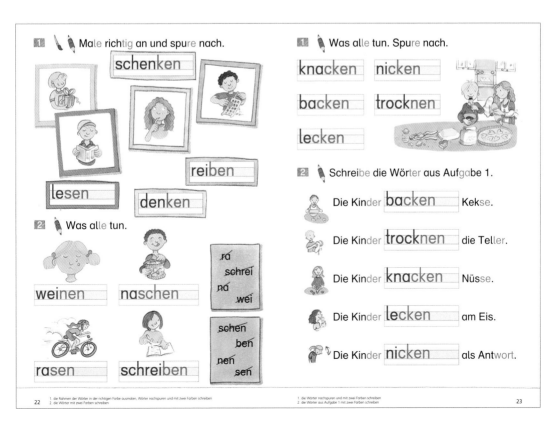

Das Übungsheft Deutsch 1 – Lösungen (Seite 24–27)

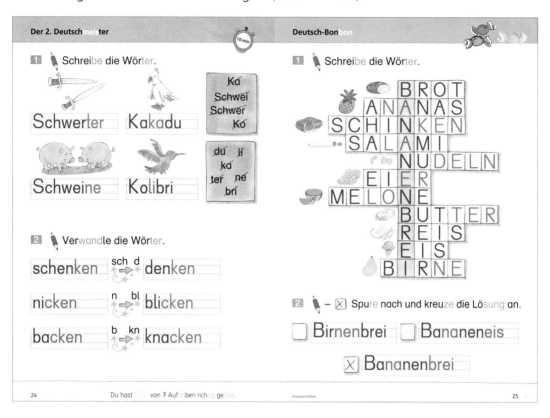

1 Schreibe die Wörter.

Schwerter   Kakadu

Ka / Schwei / Schwer / Ko

Schweine   Kolibri

du / li / ka / ter / ne / bri

2 Verwandle die Wörter.

schenken → sch d → denken

nicken → n bl → blicken

backen → b kn → knacken

24   Du hast ___ von 7 Aufgaben richtig gelöst.

Deutsch-Bonbon

1 Schreibe die Wörter.

BROT
ANANAS
SCHINKEN
SALAMI
NUDELN
EIER
MELONE
BUTTER
REIS
EIS
BIRNE

2 ☒ Spure nach und kreuze die Lösung an.

☐ Birnenbrei   ☐ Bananeneis

☒ Bananenbrei

Kreuzworträtsel   25

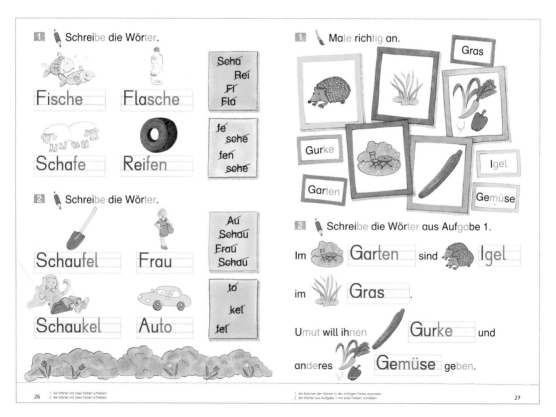

1 Schreibe die Wörter.

Fische   Flasche

Scha / Rei / Fi / Fla

Schafe   Reifen

fe / sche / fen / sche

2 Schreibe die Wörter.

Schaufel   Frau

Au / Schau / Frau / Schau

Schaukel   Auto

to / kel / fel

1 Male richtig an.

Gras

Gurke

Garten

Igel

Gemüse

2 Schreibe die Wörter aus Aufgabe 1.

Im Garten sind Igel

im Gras .

Umut will ihnen Gurke und

anderes Gemüse geben.

26   1. die Wörter mit zwei Farben schreiben   2. die Wörter mit zwei Farben schreiben

1. die Rahmen der Wörter in der richtigen Farbe ausmalen   2. die Wörter aus Aufgabe 1 mit zwei Farben schreiben   27

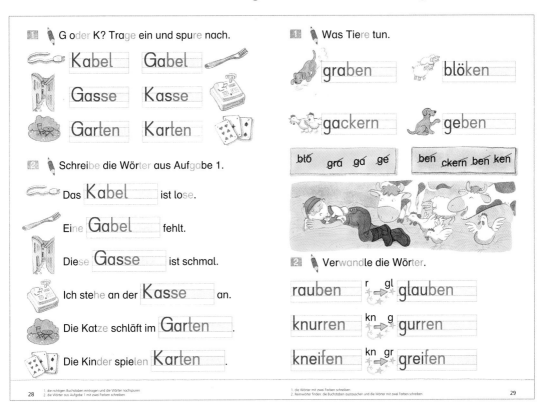

1 G oder K? Trage ein und spure nach.

Kabel Gabel

Gasse Kasse

Garten Karten

2 Schreibe die Wörter aus Aufgabe 1.

Das Kabel ist lose.

Eine Gabel fehlt.

Diese Gasse ist schmal.

Ich stehe an der Kasse an.

Die Katze schläft im Garten.

Die Kinder spielen Karten.

1 Was Tiere tun.

graben blöken

gackern geben

blö grā gā ge   ben ckern ben ken

2 Verwandle die Wörter.

rauben r gl glauben

knurren kn g gurren

kneifen kn gr greifen

1. die richtigen Buchstaben eintragen und die Wörter nachspuren
2. die Wörter aus Aufgabe 1 mit zwei Farben schreiben

1. die Wörter mit zwei Farben schreiben
2. Reimwörter finden: die Buchstaben austauschen und die Wörter mit zwei Farben schreiben

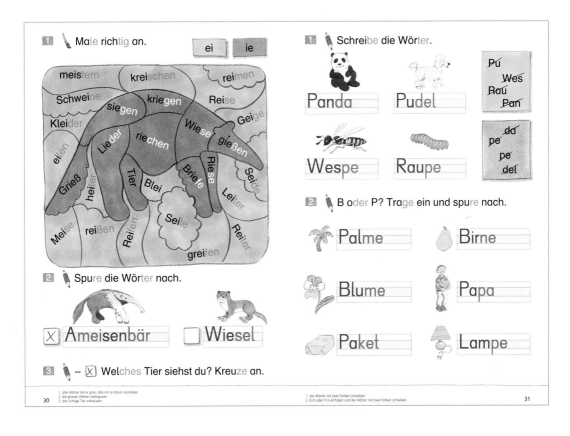

1 Male richtig an.

ei ie

meistern kreischen reimen
Schweine kriegen Reise
siegen Geige
Kleider Wiese
Lieder riechen gießen
eiten
Grieß heißer Tier Blei Briefe Riese Seite Leiter
Meise reißen Reifen Seite Reiter
greifen

2 Spure die Wörter nach.

☒ Ameisenbär ☐ Wiesel

3 – ☒ Welches Tier siehst du? Kreuze an.

1 Schreibe die Wörter.

Panda Pudel

Pu Wes Rau Pan

Wespe Raupe

da pe pe del

2 B oder P? Trage ein und spure nach.

Palme Birne

Blume Papa

Paket Lampe

1. alle Wörter mit ei grün, alle mit ie braun ausmalen
2. die grauen Wörter nachspuren
3. das richtige Tier ankreuzen

1. die Wörter mit zwei Farben schreiben
2. B/b oder P/p einfügen und die Wörter mit zwei Farben schreiben

Das Übungsheft Deutsch 1 – Lösungen (Seite 32–35)

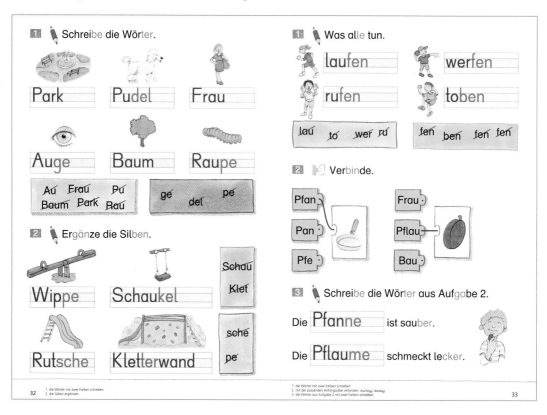

1 ✏ Schreibe die Wörter.

Park   Pudel   Frau

Auge   Baum   Raupe

> Au Frau Pu
> Baum Park Rau   ge   del   pe

2 ✏ Ergänze die Silben.

Wippe   Schaukel   Schau / Klet

Rutsche   Kletterwand   sche / pe

1 ✏ Was alle tun.

laufen   werfen

rufen   toben

> lau to wer ru   fen ben fen fen

2 ✏ Verbinde.

Pfan   Frau
Pan   Pflau
Pfe   Bau

3 ✏ Schreibe die Wörter aus Aufgabe 2.

Die **Pfanne** ist sauber.

Die **Pflaume** schmeckt lecker.

32   1. die Wörter mit zwei Farben schreiben
      2. die Silben ergänzen

1. die Wörter mit zwei Farben schreiben
2. mit der passenden Anfangssilbe verbinden: Pfanne, Pflaume
3. die Wörter aus Aufgabe 2 mit zwei Farben schreiben   33

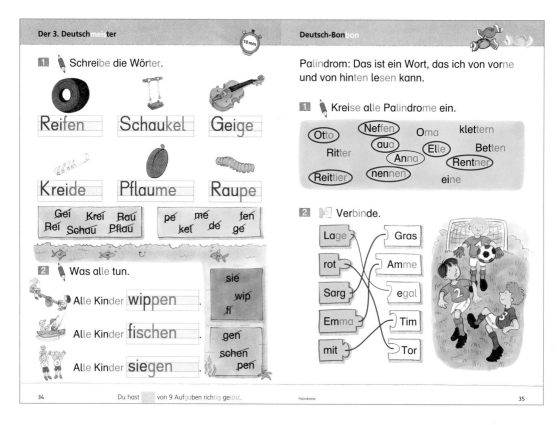

Der 3. Deutschmeister   10 min

1 ✏ Schreibe die Wörter.

Reifen   Schaukel   Geige

Kreide   Pflaume   Raupe

> Gei Krei Rau   pe me fen
> Rei Schau Pflau   kel de ge

2 ✏ Was alle tun.

Alle Kinder **wippen**.   sie / wip / fi

Alle Kinder **fischen**.   gen / schen / pen

Alle Kinder **siegen**.

Deutsch-Bonbon

Palindrom: Das ist ein Wort, das ich von vorne und von hinten lesen kann.

1 ✏ Kreise alle Palindrome ein.

> (Otto) (Neffen) Oma klettern
> Ritter (aua) (Elle) Betten
> (Reittier) Anna (Rentner)
> (nennen) eine

2 ✏ Verbinde.

Lage   Gras
rot   Amme
Sarg   egal
Emma   Tim
mit   Tor

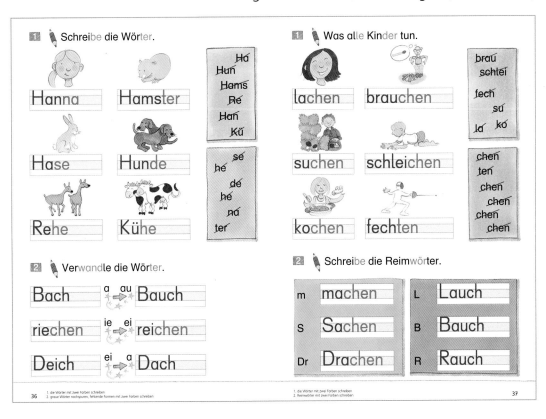

1 Schreibe die Wörter.

Hanna — Hamster

Hanna, Hamster, Hun, Hams, Re, Han, Kü

Hase — Hunde

Rehe — Kühe

sé, he, de, he, na, ter

2 Verwandle die Wörter.

Bach $\overset{a\ au}{\Rightarrow}$ Bauch

riechen $\overset{ie\ ei}{\Rightarrow}$ reichen

Deich $\overset{ei\ a}{\Rightarrow}$ Dach

1 Was alle Kinder tun.

lachen — brauchen

brau, schtei, fech, su, la, ko

suchen — schleichen

kochen — fechten

chen, ten, chen, chen, chen, chen

2 Schreibe die Reimwörter.

m machen   L Lauch

S Sachen   B Bauch

Dr Drachen   R Rauch

36
1. die Wörter mit zwei Farben schreiben
2. graue Wörter nachspuren, fehlende Formen mit zwei Farben schreiben

37
1. die Wörter mit zwei Farben schreiben
2. Reimwörter mit zwei Farben schreiben

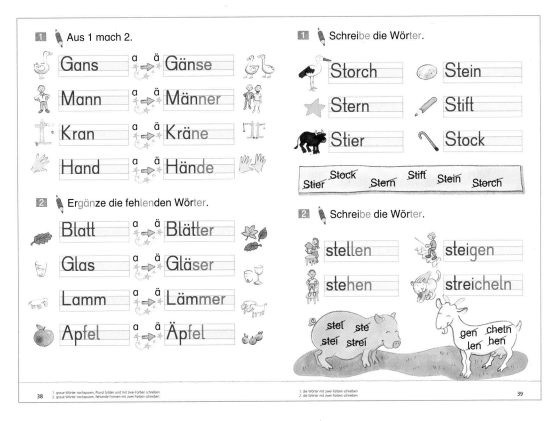

1 Aus 1 mach 2.

Gans $\overset{a\ ä}{\Rightarrow}$ Gänse

Mann $\overset{a\ ä}{\Rightarrow}$ Männer

Kran $\overset{a\ ä}{\Rightarrow}$ Kräne

Hand $\overset{a\ ä}{\Rightarrow}$ Hände

2 Ergänze die fehlenden Wörter.

Blatt $\overset{a\ ä}{\Rightarrow}$ Blätter

Glas $\overset{a\ ä}{\Rightarrow}$ Gläser

Lamm $\overset{a\ ä}{\Rightarrow}$ Lämmer

Apfel $\overset{a\ ä}{\Rightarrow}$ Äpfel

1 Schreibe die Wörter.

Storch — Stein

Stern — Stift

Stier — Stock

Stier, Stock, Stern, Stift, Stein, Storch

2 Schreibe die Wörter.

stellen — steigen

stehen — streicheln

stel, ste, stei, strei, gen, chetn, len, hen

38
1. graue Wörter nachspuren, Plural bilden und mit zwei Farben schreiben
2. graue Wörter nachspuren, fehlende Formen mit zwei Farben schreiben

39
1. die Wörter mit zwei Farben schreiben
2. die Wörter mit zwei Farben schreiben

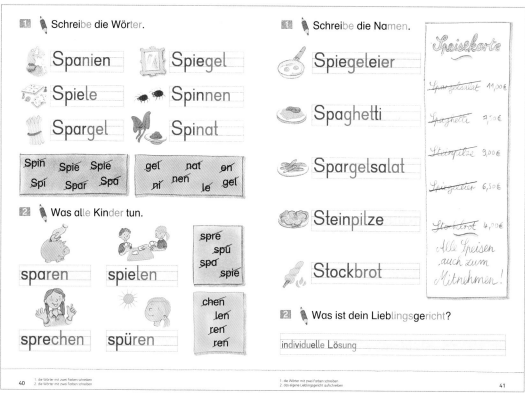

1 ✏ Schreibe die Wörter.

Spanien   Spiegel

Spiele   Spinnen

Spargel   Spinat

| Spin | Spié | Spié | | gel | nat | en |
| Spí | Spar | Spa | | ni | nen | le | gel |

2 ✏ Was alle Kinder tun.

sparen   spielen

| spre | spú | spa | spié |

sprechen   spüren

| chen | len | ren | ren |

1 ✏ Schreibe die Namen.

Spiegeleier

Spaghetti

Spargelsalat

Steinpilze

Stockbrot

Speisekarte

Spargelsalat 11,00 €
Spaghetti 7,50 €
Steinpilze 9,00 €
Spiegeleier 6,50 €
Stockbrot 4,00 €

Alle Speisen auch zum Mitnehmen!

2 ✏ Was ist dein Lieblingsgericht?

individuelle Lösung

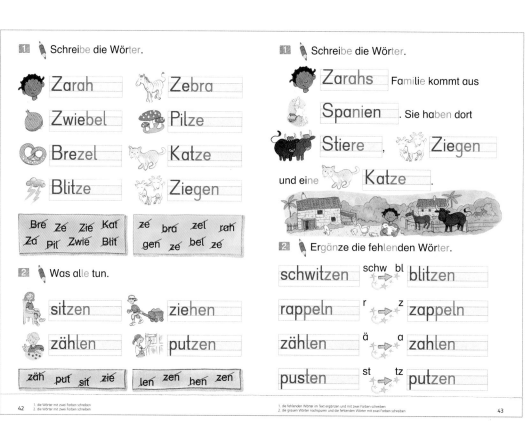

1 ✏ Schreibe die Wörter.

Zarah   Zebra

Zwiebel   Pilze

Brezel   Katze

Blitze   Ziegen

| Bre | Zé | Zie | Kat | | zé | bra | zel | rah |
| Za | Pil | Zwie | Blit | | gen | ze | bel | ze |

2 ✏ Was alle tun.

sitzen   ziehen

zählen   putzen

| zäh | put | sit | zie | | len | zen | hen | zen |

1 ✏ Schreibe die Wörter.

Zarahs   Familie kommt aus

Spanien   . Sie haben dort

Stiere   ,   Ziegen

und eine   Katze   .

2 ✏ Ergänze die fehlenden Wörter.

schwitzen   schw ➡ bl   blitzen

rappeln   r ➡ z   zappeln

zählen   ä ➡ a   zahlen

pusten   st ➡ tz   putzen

1️⃣ Schreibe die Wörter.

Katze   Storch

Spatzen   Ziege

Hase   Nashorn

Kat Storch Zie
Ha Nas Spat

ze zen horn
se ge

2️⃣ Aus 1 mach 2.

Gans a → ä Gänse

Blatt a → ä Blätter

Schwan a → ä Schwäne

Du hast ___ von 9 Aufgaben richtig gelöst.

1️⃣ Löse das Rätsel.
Schreibe immer den ersten Buchstaben.

K   A   R   L   –

K   O   N   R   A   D

2️⃣ Trage das Lösungswort ein.
Zarahs Hase heißt

Karl   – Konrad   .

Geheimschrift in Bildern

1️⃣ Schreibe die Wörter.

Schlange   Angel

Zange   Zunge

Schmetterling

Zan
Zun
Schmet
An
Schlan

ge
ling
ge
gel
ter
ge

2️⃣ Was alle tun.

Alle **singen** Lieder.

Alle **springen** hoch.

Alle **fangen** die Bälle.

fan
sin
sprin

gen
gen
gen

1️⃣ Schreibe die Wörter auf die richtige Linie.

singen   singen
sinken   sinken

zwängen   zwinkern
zwängen   zwinkern

düngen   düngen
denken   denken

2️⃣ g oder k? Trage ein und spure nach.

Die Spieler **schwin g en** die Schläger.

Die Hemden **hän g en** auf der Leine.

Die dreckigen Socken **stin k en**.

Das Übungsheft Deutsch 1 – Lösungen (Seite 48–51)

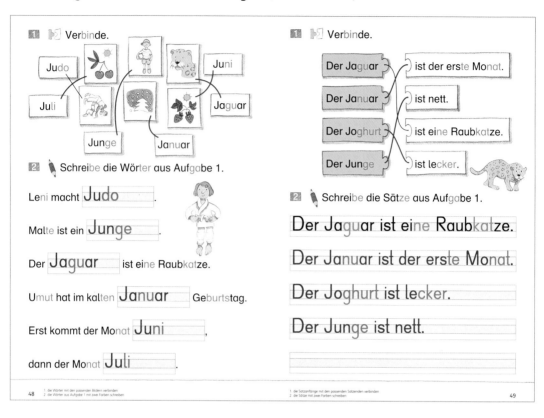

1 Verbinde.

Judo · Juni · Juli · Jaguar · Junge · Januar

2 Schreibe die Wörter aus Aufgabe 1.

Leni macht **Judo**.

Malte ist ein **Junge**.

Der **Jaguar** ist eine Raubkatze.

Umut hat im kalten **Januar** Geburtstag.

Erst kommt der Monat **Juni**,

dann der Monat **Juli**.

1 Verbinde.

Der Jaguar — ist der erste Monat.
Der Januar — ist nett.
Der Joghurt — ist eine Raubkatze.
Der Junge — ist lecker.

2 Schreibe die Sätze aus Aufgabe 1.

Der Jaguar ist eine Raubkatze.

Der Januar ist der erste Monat.

Der Joghurt ist lecker.

Der Junge ist nett.

1. die Wörter mit den passenden Bildern verbinden
2. die Wörter aus Aufgabe 1 mit zwei Farben schreiben

1. die Satzanfänge mit den passenden Satzenden verbinden
2. die Sätze mit zwei Farben schreiben

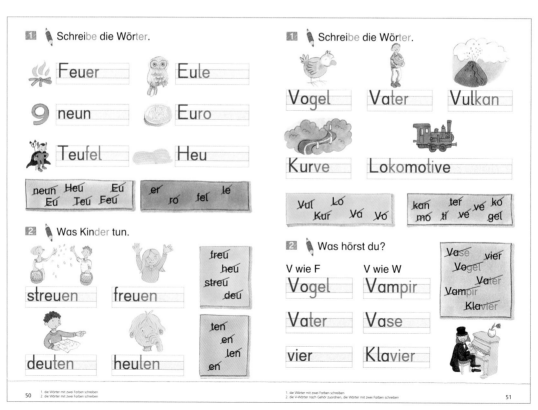

1 Schreibe die Wörter.

Feuer · Eule · neun · Euro · Teufel · Heu

neun Heu Eu Eu Teu Feu · er ro fel le

2 Was Kinder tun.

streuen · freuen · deuten · heulen

freu heu streu deu · ten en len en

1 Schreibe die Wörter.

Vogel · Vater · Vulkan · Kurve · Lokomotive

Vul Lo Kur Va Vo · kan ter ve ko mo ti ve gel

2 Was hörst du?

V wie F   V wie W

Vogel   Vampir

Vater   Vase

vier   Klavier

Vase vier Vogel Vater Vampir Klavier

1. die Wörter mit zwei Farben schreiben
2. die Wörter mit zwei Farben schreiben

1. die Wörter mit zwei Farben schreiben
2. die V-Wörter nach Gehör zuordnen, die Wörter mit zwei Farben schreiben

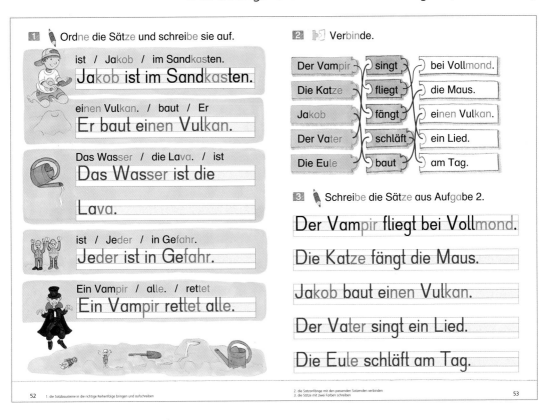

1 Ordne die Sätze und schreibe sie auf.

ist / Jakob / im Sandkasten.

Jakob ist im Sandkasten.

einen Vulkan. / baut / Er

Er baut einen Vulkan.

Das Wasser / die Lava. / ist

Das Wasser ist die Lava.

ist / Jeder / in Gefahr.

Jeder ist in Gefahr.

Ein Vampir / alle. / rettet

Ein Vampir rettet alle.

2 Verbinde.

Der Vampir	singt	bei Vollmond.
Die Katze	fliegt	die Maus.
Jakob	fängt	einen Vulkan.
Der Vater	schläft	ein Lied.
Die Eule	baut	am Tag.

3 Schreibe die Sätze aus Aufgabe 2.

Der Vampir fliegt bei Vollmond.

Die Katze fängt die Maus.

Jakob baut einen Vulkan.

Der Vater singt ein Lied.

Die Eule schläft am Tag.

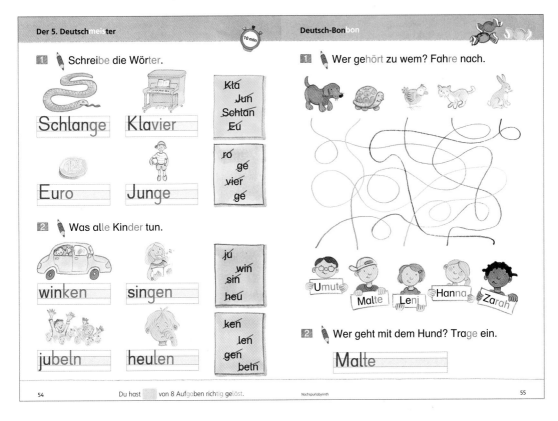

Der 5. Deutschmeister   *10 min*

Deutsch-Bonbon

1 Schreibe die Wörter.

Kla Jun Sehtan Eu

Schlange   Klavier

ro ge vier ge

Euro   Junge

2 Was alle Kinder tun.

ju win sin heu

winken   singen

ken len gen beln

jubeln   heulen

1 Wer gehört zu wem? Fahre nach.

Umut   Malte   Leni   Hanna   Zarah

2 Wer geht mit dem Hund? Trage ein.

Malte

Das Übungsheft Deutsch 1 – Lösungen (Seite 56 – 59)

1 ✏ Aus 1 mach 2.

Haus au äu→ Häuser

Baum au äu→ Bäume

Maus au äu→ Mäuse

Zaun au äu→ Zäune

2 ✏ Ergänze die fehlenden Wörter.

Traum au äu→ Träume

Strauch au äu→ Sträucher

Raum au äu→ Räume

Strauß au äu→ Sträuße

1 ✏ Aus groß mach klein.

Hase ⇒ Häschen

Haus ⇒ Häuschen

Hose ⇒ Höschen

Hut ⇒ Hütchen

2 ✏ Aus groß mach klein.
Ergänze die fehlenden Wörter.

Maus Pfote Mauer Katze

Ein Kätzchen mit

weißen Pfötchen liegt auf dem

Mäuerchen und träumt

von vielen Mäuschen .

56
1. graue Wörter nachspuren, Plural bilden und mit zwei Farben schreiben
2. graue Wörter nachspuren, fehlende Formen mit zwei Farben schreiben

1. graue Wörter nachspuren, Verkleinerungsform bilden und mit zwei Farben schreiben
2. Verkleinerungsformen bilden und mit zwei Farben schreiben
57

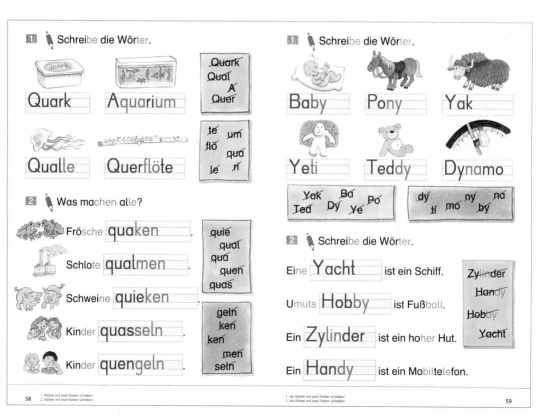

1 ✏ Schreibe die Wörter.

Quark   Aquarium

Quark Qual A Quer

Qualle   Querflöte

te um flö qua le ri

2 ✏ Was machen alle?

Frösche quaken .

Schlote qualmen .

Schweine quieken .

Kinder quasseln .

Kinder quengeln .

quie qual qua quen quas

geln ken ken men seln

1 ✏ Schreibe die Wörter.

Baby   Pony   Yak

Yeti   Teddy   Dynamo

Yak Ba Po Ted Dy Ye

dy ny na ti mo by

2 ✏ Schreibe die Wörter.

Eine Yacht ist ein Schiff.

Umuts Hobby ist Fußball.

Ein Zylinder ist ein hoher Hut.

Ein Handy ist ein Mobiltelefon.

Zylinder Handy Hobby Yacht

1 ✎ Schreibe die Wörter.

Clown   Chamäleon

Co
Com
Cha
Clown

Comic   Computer

mic   on
ter   mä
le   pu

2 ✎ Schreibe die Wörter.

Bax   Taxi   Mixer

Nixe   Boxer   Hexe

Ni Mi   Bo
Bax He Ta

xe   xe   xer
xe   xer xi

1 ✎ Ordne die Sätze und schreibe sie auf.

liest / Max / einen Comic.
Max liest einen Comic.

Es / um eine Hexe. / geht
Es geht um eine Hexe.

hat / Sie / ein Chamäleon.
Sie hat ein Chamäleon.

besucht / Ein Cowboy / sie.
Ein Cowboy besucht sie.

2 ✎ Wie heißen die Hexe und das Chamäleon?
Denke dir Namen aus.

individuelle Lösung   individuelle Lösung

60   1 die Wörter mit zwei Farben schreiben
2 die Wörter mit zwei Farben schreiben

1 Satzbausteine in die richtige Reihenfolge bringen und aufschreiben
2 einen eigenen Namen für Hexe und Chamäleon ausdenken   61

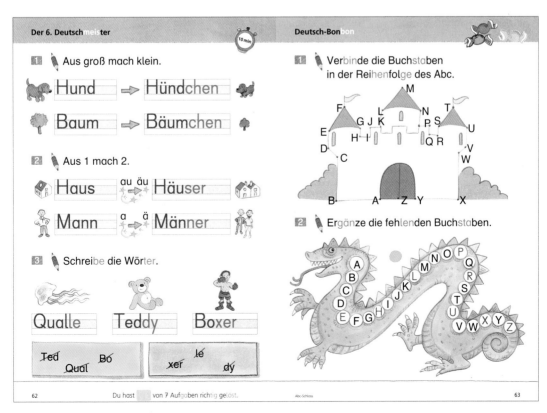

Der 6. Deutschmeister   ⏱ 10 min

1 ✎ Aus groß mach klein.

Hund ⇒ Hündchen

Baum ⇒ Bäumchen

2 ✎ Aus 1 mach 2.

Haus au äu⇒ Häuser

Mann a ä⇒ Männer

3 ✎ Schreibe die Wörter.

Qualle   Teddy   Boxer

Ted   Bo
Qual

le
xer   dy

Deutsch-Bonbon

1 ✎ Verbinde die Buchstaben
in der Reihenfolge des Abc.

M
F   L   N   T
G J K   P S
E   H I   Q R   U
D   V
C   W
B   A Z Y   X

2 ✎ Ergänze die fehlenden Buchstaben.

N O P
A K L M Q
B J   R
C I   S
D H   T
E F G H I J K   U
V W X Y Z

62   Du hast ☐ von 7 Aufgaben richtig gelöst.   Abc-Schloss   63

Das Übungsheft Deutsch 1 – Lösungen (Seite 64)

Deutsch-Sahne bonbon

1 Löse das magische Tierquadrat.

E S E L
E N T E
L A M A
A F F E

Esel
Ente
Lama
Affe

2 Schreibe die Tiernamen.

K Ü H E
U H U
H A I
H U N D

3 Löse das Rätsel.

F I S C H O T T E R
4 3 8 7

4 Ergänze die Lösungsbuchstaben.

D A S I S T T O L L !
1 2 3 4 5 6 7 8 9 10

64   magisches Tierquadrat, Kreuzworträtsel, Geheimschrift in Bildern

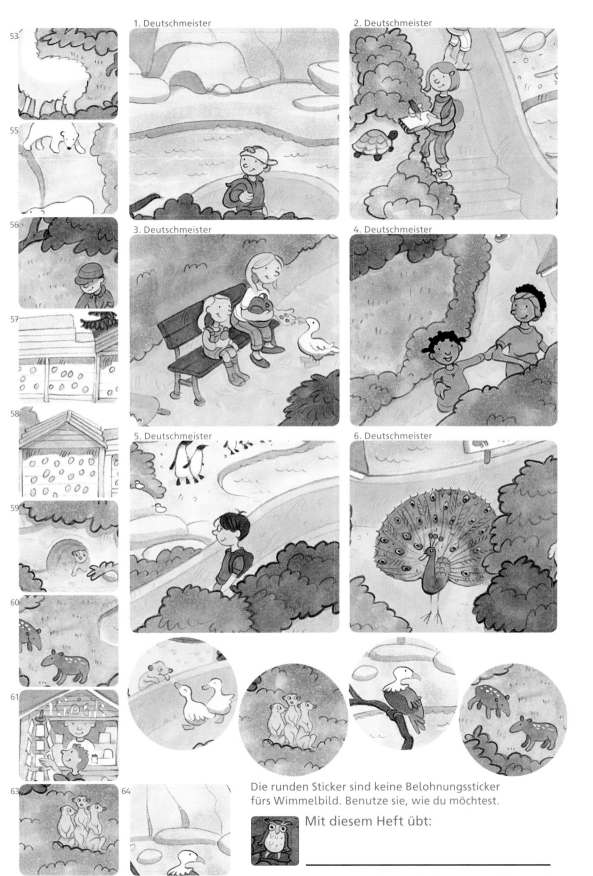

1. Deutschmeister

2. Deutschmeister

3. Deutschmeister

4. Deutschmeister

5. Deutschmeister

6. Deutschmeister

Die runden Sticker sind keine Belohnungssticker fürs Wimmelbild. Benutze sie, wie du möchtest.

Mit diesem Heft übt:

Das Übungsheft Rechtschreiben – Klasse 1

Methodentraining

Dieses Übungsheft gibt den Kindern die Grundlagen für den richtigen Umgang mit der Rechtschreibung.

- Alle wichtigen Bereiche des Schriftspracherwerbs von Klasse 1
- Diktatmeister mit Wörtern und ersten Sätzen in zwei Schwierigkeitsniveaus zur Auswahl
- Mit Sticker-Belohnungssystem!

Das Übungsheft Rechtschreiben 1

64 S., vierf., Gh, 17 x 24 cm,
mit Stickerbogen und Lösungsheft   ISBN 978-3-619-14171-5

www.mildenberger-verlag.de/193

Das Übungsheft Lesen – Klasse 1

Lesetraining und Leseverständnis

Die Hefte der Reihe **Übungsheft Lesen** führen die Kinder behutsam und spielerisch heran, das genaue Lesen, das Erfassen von Inhalten und die gezielte Entnahme von Information zu trainieren. Mit viel Spaß wird Lesekompetenz aufgebaut.

- Kurze spannende, erzählende Texte
- Sachtexte aus dem Interessengebiet von Grundschülern
- Nicht-lineare Texte (Listen, Lagepläne …)
- Aufgaben in zwei Kompetenzstufen
- Lesebonbons in Form von Knobelaufgaben
- Mit Sticker-Belohnungssystem!

Das Übungsheft Lesen 1

64 S., Gh, 17 x 24 cm, vierf.,
mit Stickerbogen und Lösungsheft   ISBN 978-3-619-14172-2

www.mildenberger-verlag.de/192

Das Förderheft Deutsch – Klasse 1

Erstes Lese- und Schreibtraining

Die Hefte der Reihe **Förderheft Deutsch** können parallel bzw. alternativ zu den **Übungsheften Deutsch** eingesetzt werden. Layout und Illustration sind übersichtlich und sparsam. Viel Raum auf den Seiten ermöglicht eine gute Konzentration auf die Inhalte.

Die Aufgaben sind sehr kleinschrittig, überall unterstützt ein Wörter- oder Silbenpool das Lösen der Aufgaben und immer zeigt ein komplett vorgegebenes Beispiel, wie gearbeitet werden soll.

Didaktisch gehen die Förderhefte immer noch einen Unterstützungsschritt weiter als die **Übungshefte Deutsch**.

Das Förderheft Deutsch 1

64 S., Gh, DIN A4, vierf.,
mit Stickerbogen und Lösungsheft   ISBN 978-3-619-14176-0

www.mildenberger-verlag.de/789

1 ✏️ Was alle tun.

| lau | to | wer | ru |

| fen | ben | fen | fen |

2 🧩 Verbinde.

Pfan •
Pan •
Pfe •

Frau •
Pflau •
Bau •

3 ✏️ Schreibe die Wörter aus Aufgabe 2.

Die _____ ist sauber.

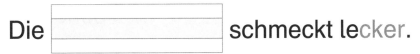

Die _____ schmeckt lecker.

1. die Wörter mit zwei Farben schreiben
2. mit der passenden Anfangssilbe verbinden: Pfanne, Pflaume
3. die Wörter aus Aufgabe 2 mit zwei Farben schreiben

33

10 min

1 ✏️ Schreibe die Wörter.

| Gei | Krei | Rau |
| Rei | Schau | Pflau |

| pe | me | fen |
| kel | de | ge |

2 ✏️ Was alle tun.

Alle Kinder _____ .

Alle Kinder _____ .

Alle Kinder _____ .

| sie | wip | fi |
| gen | schen | pen |

Du hast ___ von 9 Aufgaben richtig gelöst.

Palindrom: Das ist ein Wort, das ich von vorne und von hinten lesen kann.

1 Kreise alle Palindrome ein.

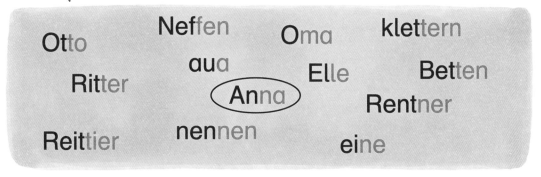

Otto   Neffen   Oma   klettern

Ritter   aua   Elle   Betten

Anna   Rentner

Reittier   nennen   eine

2 Verbinde.

Lage   Gras

rot   Amme

Sarg   egal

Emma   Tim

mit   Tor

1 ✏️ Schreibe die Wörter.

Hanna

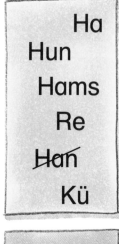

Ha
Hun
Hams
Re
~~Han~~
Kü

se
he
de
he
~~na~~
ter

2 ✏️ Verwandle die Wörter.

Bach a → au

riechen ie → ei

Deich ei → a

1. die Wörter mit zwei Farben schreiben
2. graue Wörter nachspuren, fehlende Formen mit zwei Farben schreiben

1 ✏️ Was alle Kinder tun.

lachen

brau
schlei
fech
su
l̶a̶ ko

chen
ten
chen
c̶h̶e̶n̶
chen
chen

2 ✏️ Schreibe die Reimwörter.

m	machen
S	
Dr	

L	Lauch
B	
R	

1 ✏️ Aus 1 mach 2.

Gans → Gänse

Mann →

Kran →

Hand →

2 ✏️ Ergänze die fehlenden Wörter.

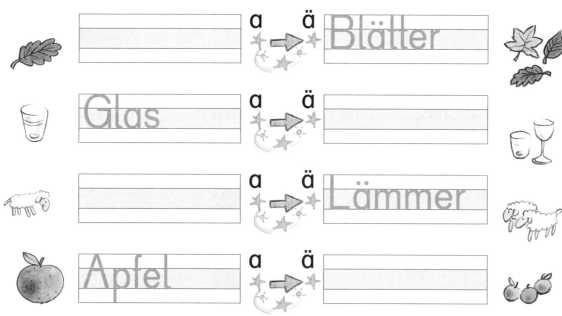

→ Blätter

Glas →

→ Lämmer

Apfel →

1. graue Wörter nachspuren, Plural bilden und mit zwei Farben schreiben
2. graue Wörter nachspuren, fehlende Formen mit zwei Farben schreiben

Schreibe die Wörter.

Storch

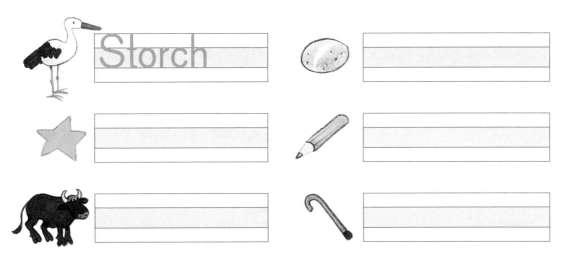

| Stier | Stock | Stern | Stift | Stein | ~~Storch~~ |

2 Schreibe die Wörter.

stel   ste
stei   strei

gen   cheln
len   hen

---

1. die Wörter mit zwei Farben schreiben
2. die Wörter mit zwei Farben schreiben

1 ✏️ Schreibe die Wörter.

Spanien

| Spin | Spie | Spie | | gel | nat | ~~en~~ |
| Spi | Spar | ~~Spa~~ | | ~~ni~~ | nen | le | gel |

2 ✏️ Was alle Kinder tun.

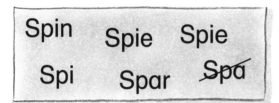

sparen

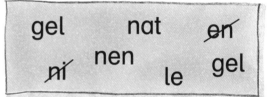

spre
spü
~~spa~~
spie

chen
len
~~ren~~
ren

---

1. die Wörter mit zwei Farben schreiben
2. die Wörter mit zwei Farben schreiben

1 🖊 Schreibe die Namen.

Spiegeleier

Speisekarte

Spargelsalat 11,00 €

Spaghetti 7,50 €

Steinpilze 9,00 €

~~Spiegeleier~~ 6,50 €

Stockbrot 4,00 €

Alle Speisen
auch zum
Mitnehmen!

2 🖊 Was ist dein Lieblingsgericht?

1 ✏️ Schreibe die Wörter.

Zarah

| Bre | Ze | Zie | Kat | | ze | | zel | ~~rah~~ |
| ~~Za~~ | Pil | Zwie | Blit | | gen | ze | bel | ze |

2 ✏️ Was alle tun.

| zäh | put | sit | zie | | len | zen | hen | zen |

1. die Wörter mit zwei Farben schreiben
2. die Wörter mit zwei Farben schreiben

1 ✎ Schreibe die Wörter.

Zarahs ___ Familie kommt aus

_____. Sie haben dort

_____ , _____

und eine _____ .

2 ✎ Ergänze die fehlenden Wörter.

schwitzen schw → bl _____

rappeln r → z _____

zählen ä → a _____

pusten st → tz _____

1 Schreibe die Wörter.

Kat	Storch	Zie		ze	zen	horn
Ha	Nas	Spat			se	ge

2 Aus 1 mach 2.

 Gans   a → ä

 Blatt   a → ä

 Schwan   a → ä

Du hast ____ von 9 Aufgaben richtig gelöst.

  Löse das Rätsel.
Schreibe immer den ersten Buchstaben.

K _____ _____ _____   –

_____ _____ _____ _____ _____ _____

  Trage das Lösungswort ein.
Zarahs Hase heißt

		–	

1 ✏️ Schreibe die Wörter.

Schlange

Zan
Zun
Schmet
An
~~Schlan~~

ge
ling
~~ge~~
gel
ter
ge

2 ✏️ Was alle tun.

Alle [_____] Lieder.

Alle [_____] hoch.

Alle [_____] die Bälle.

fan
sin
sprin

gen
gen
gen

1. die Wörter mit zwei Farben schreiben
2. die Wörter mit zwei Farben schreiben

1 Schreibe die Wörter auf die richtige Linie.

singen
sinken

zwinkern
zwängen

düngen
denken

2 g oder k? Trage ein und spure nach.

Die Spieler schwinen die Schläger.

Die Hemden hänen auf der Leine.

Die dreckigen Socken stinen .

1. die Wörter richtig zuordnen und in zwei Farben schreiben
2. die richtigen Buchstaben eintragen und die Wörter nachspuren

47

1 Verbinde.

Judo

Juni

Juli

Jaguar

Junge

Januar

2 Schreibe die Wörter aus Aufgabe 1.

Leni macht Judo .

Malte ist ein .

Der ist eine Raubkatze.

Umut hat im kalten Geburtstag.

Erst kommt der Monat ,

dann der Monat .

1. die Wörter mit den passenden Bildern verbinden
2. die Wörter aus Aufgabe 1 mit zwei Farben schreiben

1 Verbinde.

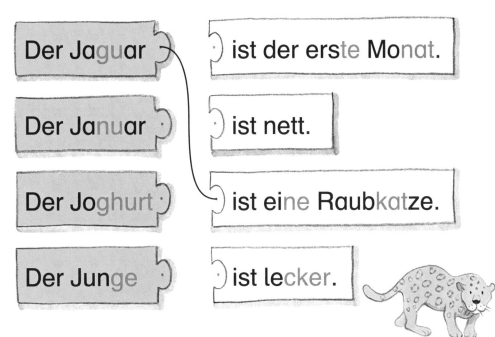

Der Jaguar — ist der erste Monat.

Der Januar — ist nett.

Der Joghurt — ist eine Raubkatze.

Der Junge — ist lecker.

2 Schreibe die Sätze aus Aufgabe 1.

Der Jaguar ist eine Raubkatze.

✏️ **Schreibe die Wörter.**

 Feuer

9

neun   Heu   Eu
  Eu   Teu   ~~Feu~~

~~er~~   le
       ro   fel

✏️ **Was Kinder tun.**

freu
heu
streu
deu

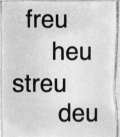

ten
en
len
en

1 ✏️ Schreibe die Wörter.

Vogel

Vul   Lo   Kur   Va   ~~Vo~~

kan   ter   ve   ko   mo   ti   ve   ~~gel~~

2 ✏️ Was hörst du?

V wie F   **V wie W**

Vogel

Vase   vier   ~~Vogel~~   Vater   Vampir   Klavier

1 Ordne die Sätze und schreibe sie auf.

ist / Jakob / im Sandkasten.

Jakob ist im Sandkasten.

einen Vulkan. / baut / Er

Das Wasser / die Lava. / ist

ist / Jeder / in Gefahr.

Ein Vampir / alle. / rettet

2  Verbinde.

Der Vampir	singt	bei Vollmond.
Die Katze	fliegt	die Maus.
Jakob	fängt	einen Vulkan.
Der Vater	schläft	ein Lied.
Die Eule	baut	am Tag.

3 Schreibe die Sätze aus Aufgabe 2.

Der Vampir fliegt bei Vollmond.

10 min

  1 Schreibe die Wörter.

| Kla |
| Jun |
| Schlan |
| Eu |

| ro |
| ge |
| vier |
| ge |

  2 Was alle Kinder tun.

| ju |
| win |
| sin |
| heu |

| ken |
| len |
| gen |
| beln |

Du hast ___ von 8 Aufgaben richtig gelöst.

1 Wer gehört zu wem? Fahre nach.

2 Wer geht mit dem Hund? Trage ein.

1 ✏️ Aus 1 mach 2.

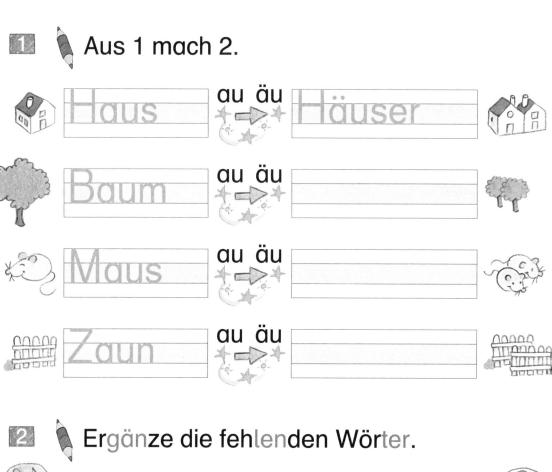

Haus   au äu ➡ Häuser

Baum   au äu ➡

Maus   au äu ➡

Zaun   au äu ➡

2 ✏️ Ergänze die fehlenden Wörter.

  au äu ➡ Träume

  au äu ➡ Sträucher

Raum   au äu ➡

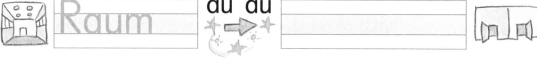

  au äu ➡ Sträuße

1. graue Wörter nachspuren, Plural bilden und mit zwei Farben schreiben
2. graue Wörter nachspuren, fehlende Formen mit zwei Farben schreiben

1 ✏️ Aus groß mach klein.

Hase ➡️ Häschen

Haus ➡️

Hose ➡️

Hut ➡️

2 ✏️ Aus groß mach klein.
Ergänze die fehlenden Wörter.

Maus
Pfote
Mauer
~~Katze~~

Ein Kätzchen mit

weißen liegt auf dem

 und träumt

von vielen .

---

1. graue Wörter nachspuren, Verkleinerungsform bilden und mit zwei Farben schreiben
2. Verkleinerungsformen bilden und mit zwei Farben schreiben

57

1 ✏️ Schreibe die Wörter.

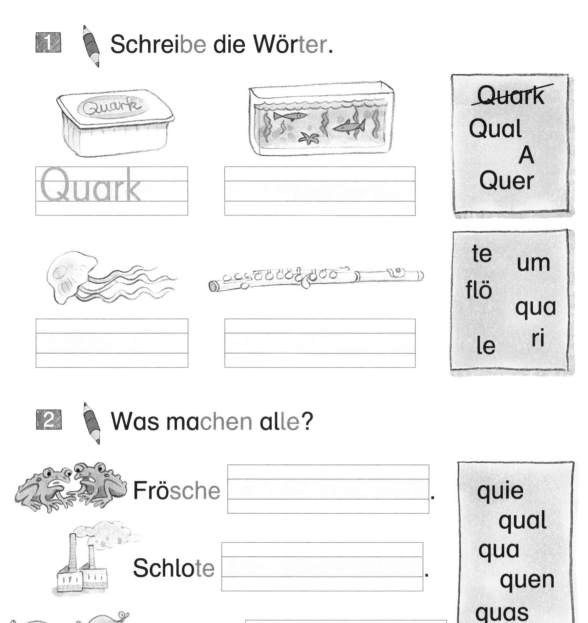

Quark

| Quark |
| Qual |
| A |
| Quer |

te	um
flö	
	qua
le	ri

2 ✏️ Was machen alle?

Frösche _____ .

Schlote _____ .

Schweine _____ .

Kinder _____ .

Kinder _____ .

| quie |
| qual |
| qua |
| quen |
| quas |

| geln |
| ken |
| ken |
| men |
| seln |

1. Wörter mit zwei Farben schreiben
2. Wörter mit zwei Farben schreiben

1 ✏️ Schreibe die Wörter.

Baby

Yak   Ba   Po
Ted   Dy   Ye

dy   ny   na
ti   mo   by

2 ✏️ Schreibe die Wörter.

Eine _____ ist ein Schiff.

Umuts _____ ist Fußball.

Ein _____ ist ein hoher Hut.

Ein _____ ist ein Mobiltelefon.

Zylinder

Handy

Hobby

Yacht

✏️ **Schreibe die Wörter.**

Co
Com
Cha
~~Clown~~

Clown

mic   on
ter   mä
le   pu

✏️ **Schreibe die Wörter.**

Bax

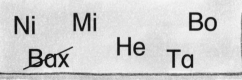

Ni   Mi   Bo
~~Bax~~   He   Ta

xe   xer
xe
xer   xi

1. die Wörter mit zwei Farben schreiben
2. die Wörter mit zwei Farben schreiben

1 Ordne die Sätze und schreibe sie auf.

 liest / Max / einen Comic.

Max liest einen Comic.

 Es / um eine Hexe. / geht

 hat / Sie / ein Chamäleon.

 besucht / Ein Cowboy / sie.

2 Wie heißen die Hexe und das Chamäleon?
Denke dir Namen aus.

1. Satzbausteine in die richtige Reihenfolge bringen und aufschreiben
2. einen eigenen Namen für Hexe und Chamäleon ausdenken

61

1 ✏ **Aus groß mach klein.**

 Hund ➡ [_____]

🌳 Baum ➡ [_____] 🌳

2 ✏ **Aus 1 mach 2.**

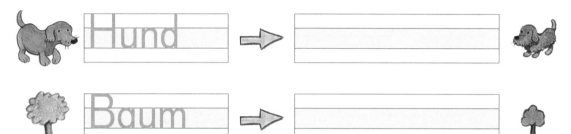

🏠 Haus au äu ➡ [_____] 🏠🏠

🧍 Mann a ä ➡ [_____] 🧍🧍

3 ✏ **Schreibe die Wörter.**

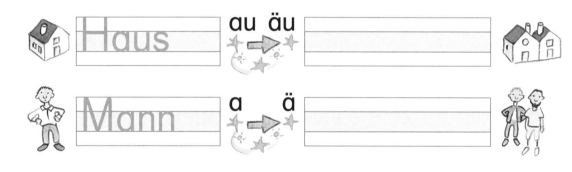

[_____]   [_____]   [_____]

Ted   Bo
    Qual

       le
xer   dy

Du hast [ ] von 7 Aufgaben richtig gelöst.

1 Verbinde die Buchstaben in der Reihenfolge des Abc.

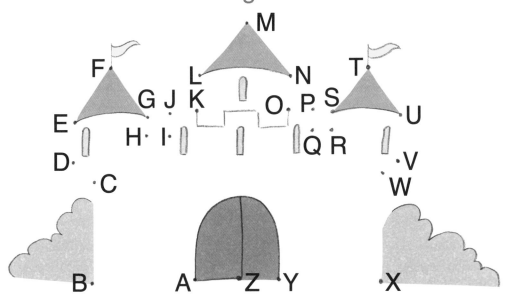

2 Ergänze die fehlenden Buchstaben.

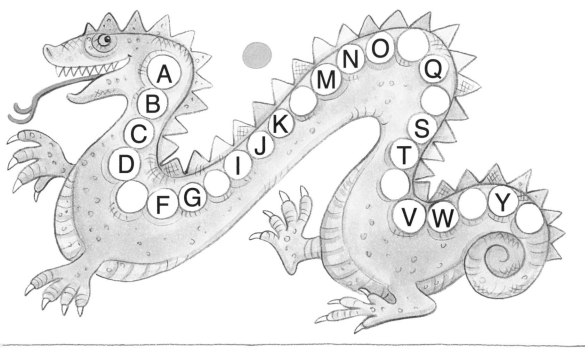

1 Löse das magische Tierquadrat.

2 Schreibe die Tiernamen.

E S⁵ E L⁹

6

10

Esel

Ente

Lama

Affe

2

1

3 Löse das Rätsel.

F _____ _____ _____ _____ _____ _____ _____
      4   3   8   7

4 Ergänze die Lösungsbuchstaben.

| | | | | S | | | | L | |!
| 1 | 2 | 3 | 4 | 5 | 6 | 7 | 8 | 9 | 10 |